Cette histoire est née d'une conversation avec Guillaume Long.
Merci à lui de l'avoir initiée.
Jean

À Marilou, Valérie, Mélanie, Roméo et Chloé.
Stéphane

ISBN 978-2-211-30280-7

© 2020, *l'école des loisirs*, Paris, pour la présente édition
dans la collection «Kilimax»
© 2018, *l'école des loisirs*, Paris
Loi 49956 du 16 juillet 1949 sur les publications
destinées à la jeunesse: octobre 2018
Dépôt légal: mai 2020
Mise en pages: *Architexte*, Bruxelles
Photogravure: *Media Process*, Bruxelles
Imprimé en France par *Pollina* à Luçon - 93115

Édition spéciale non commercialisée en librairie

Le **géant**, la fillette et le dictionnaire

Texte de Jean Leroy
illustrations de Stéphane Poulin

Pastel
l'école des loisirs

Un marchand de dictionnaires approche d'une immense chaumière.
Il fait encore quelques pas, hésite à frapper, quand soudain…

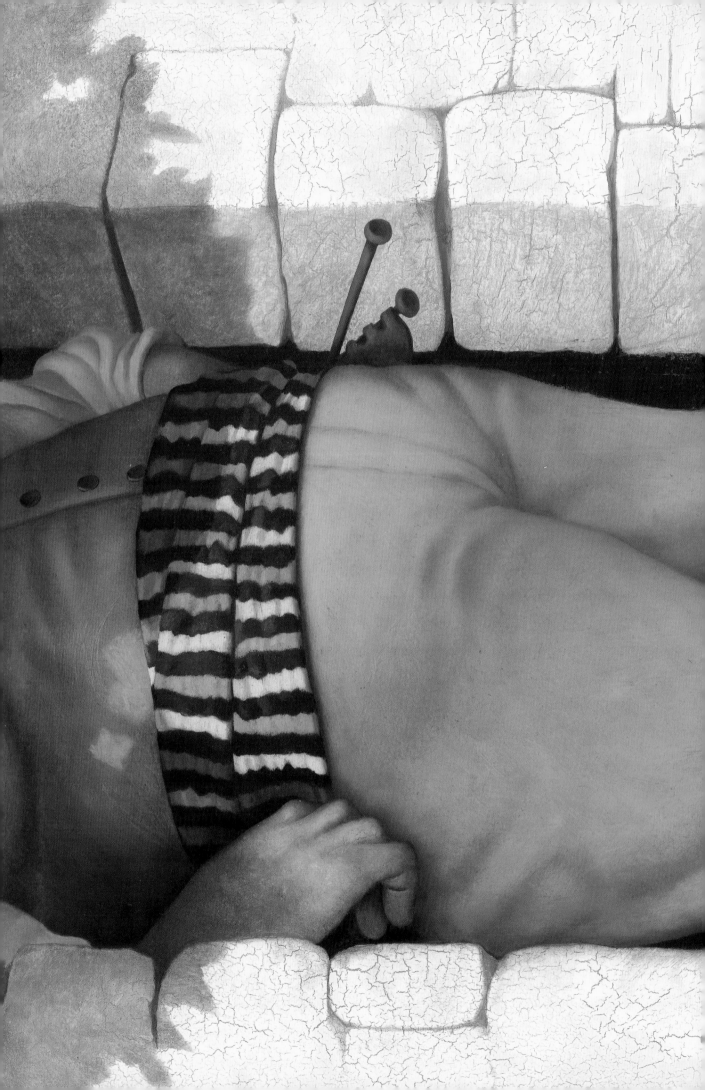

Un géant ouvre la porte. «Au secours! Un ogre!» crie le marchand.

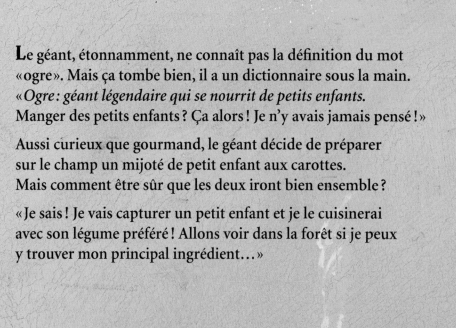

Le géant, étonnamment, ne connaît pas la définition du mot
«ogre». Mais ça tombe bien, il a un dictionnaire sous la main.
«*Ogre : géant légendaire qui se nourrit de petits enfants.*
Manger des petits enfants ? Ça alors ! Je n'y avais jamais pensé !»

Aussi curieux que gourmand, le géant décide de préparer
sur le champ un mijoté de petit enfant aux carottes.
Mais comment être sûr que les deux iront bien ensemble ?

«Je sais ! Je vais capturer un petit enfant et je le cuisinerai
avec son légume préféré ! Allons voir dans la forêt si je peux
y trouver mon principal ingrédient…»

Ses recherches à peine commencées,
le géant repère la silhouette d'une fillette.
«On dirait bien que c'est mon jour
de chance!»

«Bonjour…» dit le géant un peu intimidé.
«Je ne parle pas aux inconnus!» répond sèchement la fillette.

«J'espère qu'il ne s'agit pas d'un produit de mauvaise qualité,
s'inquiète le géant. Bah! J'en aurai bientôt le cœur net…»

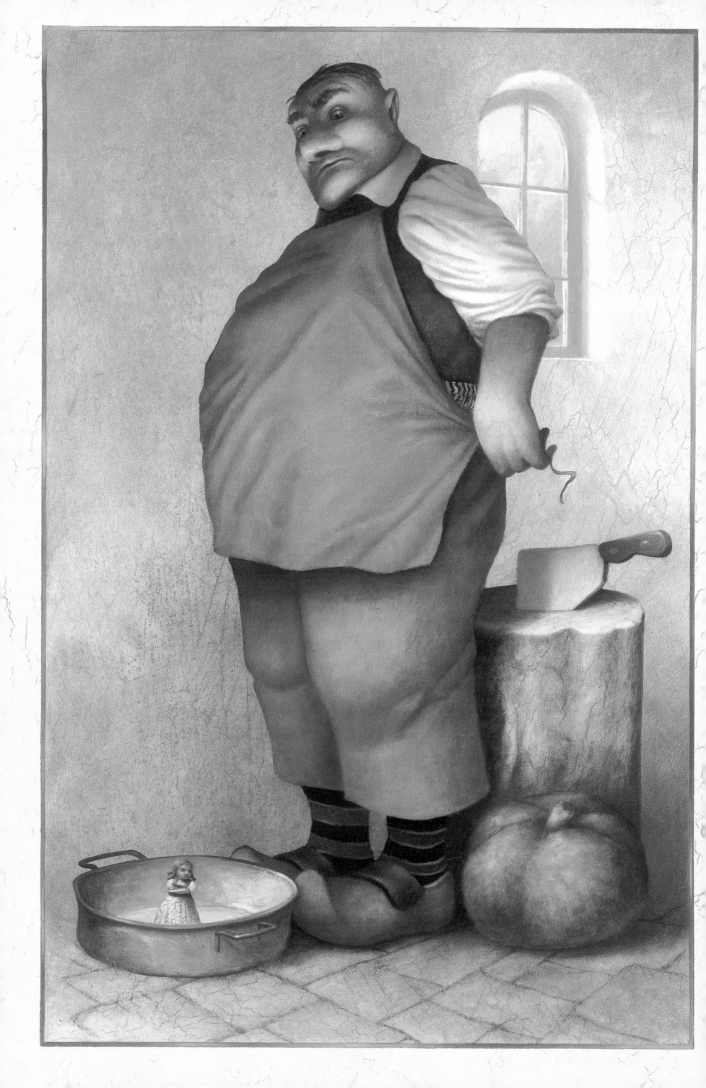

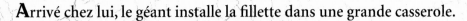

Arrivé chez lui, le géant installe la fillette dans une grande casserole.

«Quel est ton légume préféré?» demande-t-il.
«Aucun! répond la fillette, je les déteste tous! Et elle précise:
Moi, je n'aime que les bonbons! C'est pour ça que je me suis enfuie
de chez moi, parce que mes parents ne voulaient plus m'en donner!
Et à quoi ça sert d'être un enfant si on n'a pas le droit de manger
des bonbons?»

Le géant est bien embêté.
S'il cuisine la fillette avec des bonbons, il risque de réveiller sa vieille carie.
Il devra alors aller chez le dentiste. Et le géant a très peur du dentiste !

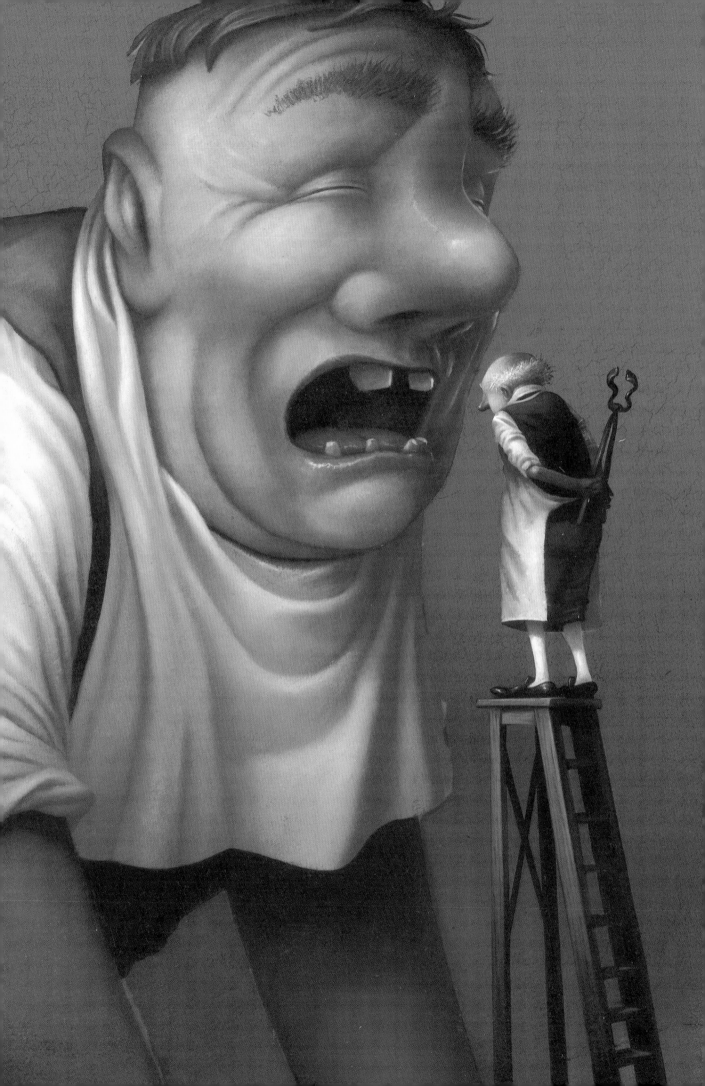

«Il doit quand même exister un légume que tu apprécies, non?»
insiste le géant.
«Je te le répète, s'agace la fillette, je déteste tous les légumes:
les choux de Bruxelles, les poireaux, les haricots verts, les navets,
les courgettes, les aubergines, les petits pois, les choux-fleurs,
les carottes, les tomates, les poivrons, les flageolets, les oignons,
les brocolis, les betteraves et les artichauts!»

«Oh, si ce n'est que ça…» dit le géant en posant la casserole
sur la table.

«Voici des panais, des fèves, des radis noirs, des cardes, des rutabagas, un potimarron et une courge spaghetti ! Je suis sûr que, parmi toutes ces variétés, il y en a une que tu ne connais pas et qui saura te plaire…»

«Ce gros gourmand est plus malin que prévu, pense la fillette. Si ça continue, je vais vraiment finir dans son assiette !»

C'est alors qu'on frappe à la porte…

Des soldats font irruption dans la chaumière.
«Par ordre du roi : nous arrêtons
tous les méchants mangeurs d'enfants!»

«Est-ce que cet ogre voulait te manger, petite ?»
demande un soldat.
La fillette croise le regard terrorisé du géant.
«Si je vais en prison, bredouille-t-il, qui s'occupera
de mes moutons ?»

«Oh, ce n'est pas un ogre ! finit par répondre
la fillette, c'est un simple géant. Il avait emprunté
mon dictionnaire et je suis venue le rechercher.
Tout va bien, merci !»

Les soldats s'excusent pour le dérangement
et ils rentrent au château.

«Pourquoi ne m'as-tu pas dénoncé?» demande le géant
à la fillette. «Parce que moi, quand j'ai un problème…
je le règle toute seule!»
«Finalement, je ne vais pas te manger: tu es trop coriace!»
La fillette ne connaît pas la définition du mot «coriace».
Mais ça tombe bien, elle a un dictionnaire sous la main.

«*Coriace: sens 1, dur, difficile à mâcher; sens 2, têtu.*
Tu as raison: c'est tout à fait moi, ça!»

Pour aller plus loin avec ce livre,
flashez ce code

ou rendez-vous sur
http://edmax.fr/40157

Vous y trouverez :

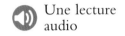 Une lecture
audio

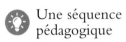 Une séquence
pédagogique

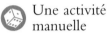 Une activité
manuelle